まちごとチャイナ
重慶001

はじめての重慶
内陸中国、第4の「直轄市」
［モノクロノートブック版］

　上海から長江を2500kmさかのぼっ
た内陸部に位置する重慶。長江と嘉陵
江が合流する地点の、岩山の斜面を利
用して築かれた街は「山城」の異名を
とり、長江を通じて重慶は海をもつと
も言われる。

　重慶の地では紀元前の春秋戦国時
代から黄河中流域とは異なる独自の
文化が育まれ、とくに長江の水利を生
かして中国西南地方の要衝となって
きた。また中国沿岸部から遠く離れた
地理をもつことから、日中戦争時に蒋
介石の国民党の首都がおかれていた
という歴史もある（南京、武漢から奥
地へ遷都された）。

　1997年、発展する中国沿岸部に対
し、開発の遅れてきた内陸部の拠点と
して、重慶は北京、上海、天津に続く4
番目の直轄都市となった。市の中心部
には高層ビルが林立し、これから発展
が見込まれる内陸地帯、また東南アジ
アやインドへの足がかりにもなって
いる。

｜まちごとチャイナ｜ 重慶 001

はじめての
重慶

内陸中国、第4の「直轄市」

Asia City Guide Production
Chongqing 001
Chongqing

重庆／chóng qìng／チョンチン

「アジア城市（まち）案内」制作委員会
まちごとパブリッシング

Contents

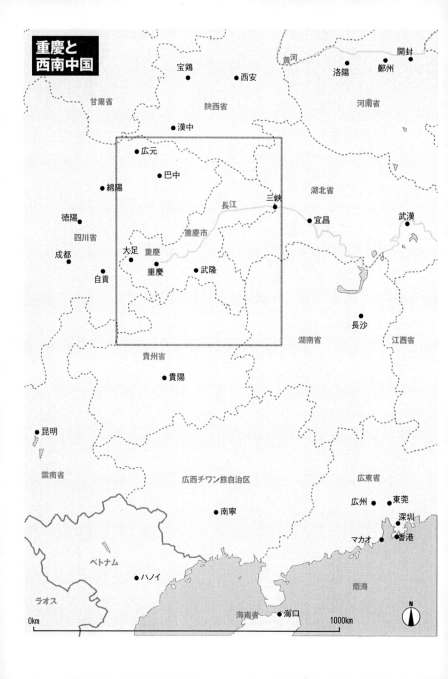

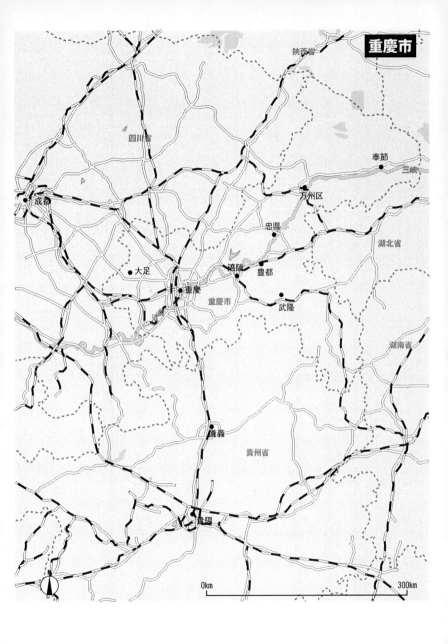

重慶市

陝西省

奉節

三峡

四川省

万州区

忠県

湖北省

成都

大足

涪陵

豊都

重慶

重慶市

武隆

湖南省

遵義

貴州省

貴陽

0km   300km

Introduction

長江上流の直轄都市

「霧都（霧の都）」「巴山夜雨（夜に雨が降る街）」
川の合流点に位置する重慶の気候をさすいくつもの言葉
武漢、南京とならぶ三大火炉（かまど）としても知られる

中国最大の都市

北京、上海、天津に続く4番目の直轄市である重慶は、世界
最大規模の3000万人もの人口を抱える。重慶市の面積は北
海道とほぼ同じ8万2000平方キロで、他の直轄市と違い農村
人口が多いことを特徴とする。この重慶は長いあいだ四川
省の一部を構成していたが、1997年、周囲の涪陵市と万県
市をあわせて超巨大都市が生まれた（2009年完成の三峡ダムの影
響による移住者への雇用対策や公共投資などで強い政策決定権をもち、大き
な都市と大きな農村を同時に抱える）。

めぐりくる喜びの都

重慶の古名「巴」は春秋戦国時代に巴国がここにおかれた
ことにちなみ、その後、渝水（嘉陵江）のほとりを意味する渝州
と呼ばれていた。現在も使われている重慶という名前は、南
宋の時代（1189年）、この地に封ぜられていた恭王（趙氏の一族）
が光宗として南宋第3代皇帝に即位したことに由来し、「双
重喜慶（二重の慶事）」を意味する重慶と名づけられた。またこ
のほかに順慶（南充市）と紹慶（彭水県）のあいだの地理からと
られたという説もある。

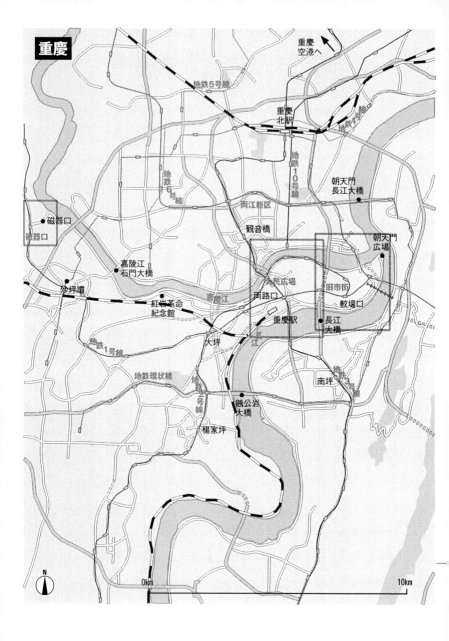

重慶

重慶空港へ

地鉄5号線
重慶北駅
地鉄4号線

地鉄10号線

朝天門
長江大橋

両江新区

観音橋

朝天門
広場

磁器口
磁器口

地鉄6号線

嘉陵江
石門大橋

嘉陵江

人民広場

旧市街

沙坪壩

両路口

較場口

紅岩革命
紀念館

地鉄1号線

重慶駅

長江
大橋

大坪

地鉄環状線

地鉄3号線

南坪

地鉄2号線

鵝公岩
大橋

楊家坪

N

0km   10km

「山城」重慶の構成

　　重慶の街は、長江と嘉陵江の合流地点の岩山に開け、中心部から西側に陸地が続く半島状の地形をもっている。この街でもっとも標高が低い朝天門(標高160m)から最高地点(標高379m)まで200m以上の高度差となっている。そのため20世紀に入ってからも交通手段として自転車はあまり使われず、エスカレーターや長い階段を行き交う人々の姿が見られる。重慶では20世紀になって1966年に嘉陵江大橋と1980年に長江公路大橋がかけられ、山や川の入り組んだ地形から香港やサンフランシスコにもたとえられる。また嘉陵江、長江の北側に開発区として両江新区が整備された。

★★☆
朝天門広場／朝天门广场 チャオティエンメンガンチャアン

★☆☆
紅岩革命紀念館／红岩革命纪念馆 ホンヤンガァミンジイニェングァン
両江新区／两江新区 リャンジィアンシンチュウ
磁器口／磁器口 ツゥチイコウ

しびれる「麻」とからさの「辣」、これが重慶の味

「山城」重慶の上部へ続く巨大なエスカレーター

嘉陵江北岸の江北には超高層ビルが林立する

吊脚楼と呼ばれる建築、この地方独特のもの

Lao Chong Qing
旧市街城市案内

長江と嘉陵江にはさまれた山城重慶
近郊の農村から多くの人々が流入し
人口密集地帯を形成している

朝天門広場／朝天门广场★★☆
chǎo tiān mén guǎng chǎng
ちょうてんもんひろば／チャオティエンメンガンチャアン

　　長江と嘉陵江がちょうど交わる地点に位置する朝天門広場。朝天門とは「天子に拝謁する門」を意味し、この街へ着いた天子を迎えた埠頭だったことから名づけられた。長江を行き交う船の発着場所で、唐代の詩人李白もここから旅立ったという。この港から陸揚げされた品々を天秤棒で運ぶ棒棒(バンバン)と呼ばれる労働者の働きも重慶の知られた光景だった。

解放碑／解放碑★★☆
jiě fàng bēi
かいほうひ／ジエファンベイ

　　重慶市街の中心に立つ解放碑。日中戦争時に建てられた木造の楼閣をはじまりとし、1950年に鉄筋コンクリート製の抗戦勝利紀功碑となった(盧溝橋事件が起きた7月7日にちなんで7.7丈の高さをもつ)。

鉄道がない時代、重慶の表玄関だった朝天門

解放碑あたりは重慶最大の繁華街となっている

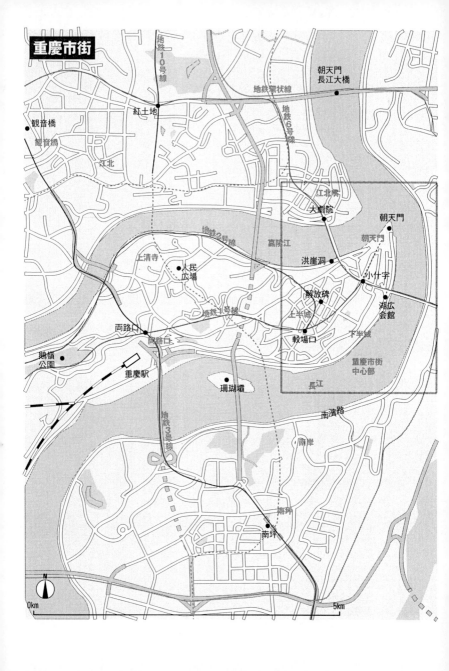

重慶市街

地鉄10号線
紅土地
地鉄環状線
朝天門
長江大橋
地鉄6号線
観音橋
鯉魚橋
江北
江北嘴
大劇院
朝天門
朝天門
嘉陵江
洪崖洞
小什字
上清寺
人民広場
解放碑
湖広会館
地鉄2号線
地鉄1号線
上半城
両路口
下半城
菜園壩
較場口
鵞嶺公園
重慶市街中心部
重慶駅
珊瑚壩
長江
南濱路
龍門浩
地鉄3号線
塗山
南坪
南坪

N

0km   5km

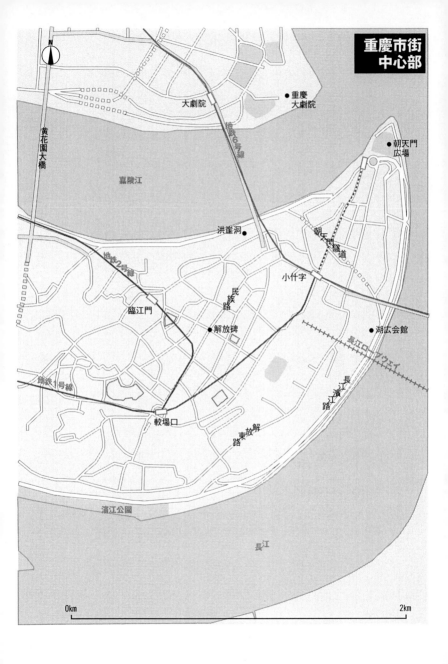

重慶市街
中心部

N

黄花園大橋

嘉陵江

大劇院

●重慶
大劇院

●朝天門
広場

地鉄6号線

朝天門隧道

洪崖洞 ●

小什字

地鉄2号線

民族路

臨江門

●湖広会館

長江ロープウェイ

●解放碑

地鉄1号線

長江濱江路

較場口

解放東路

濱江公園

長江

0km   2km

重慶火鍋

重慶火鍋は重慶名物として中国各地に広がった鍋料理。四川料理特有の「麻(山椒の辛さ)」「辣(唐辛子の辛さ)」のスープで、野菜や肉を煮込む。もともと重慶の港で働く労働者が夜に食べていた料理をはじまりとするという。

洪崖洞／洪崖洞 ★☆☆
hóng yá dòng
こうがいどう／ホンヤアドン

嘉陵江のほとりの岸辺に広がる洪崖洞。岩山の傾斜を利用した高床式の吊脚楼が見られ、この地方独特の建築として知られる(重慶は言語は北方系だが、建築は南方系であることがうかがえる)。

湖広会館／湖广会馆 ★☆☆
hú guǎng huì guǎn
ここうかいかん／フゥヴァンフイガン

湖北省と湖南省出身の商人や旅人の拠点となっていた湖広会館。創建は清の第4代康熙帝(在位1661年〜1722年)の時代にさかのぼり、湖広商人は長江を通じて内陸の物資と江南の物資の交易を行なっていた。

中原から遠く離れて

長いあいだ、重慶と隣接する四川省は、北京や中原から遠

★★☆
朝天門広場／朝天门广场 チャオティエンメンガンチャアン
解放碑／解放碑 ジエファンベイ

★☆☆
洪崖洞／洪崖洞 ホンヤアドン
湖広会館／湖广会馆 フゥヴァンフイガン

洪崖洞は巨大なテーマパークのようなたたずまい

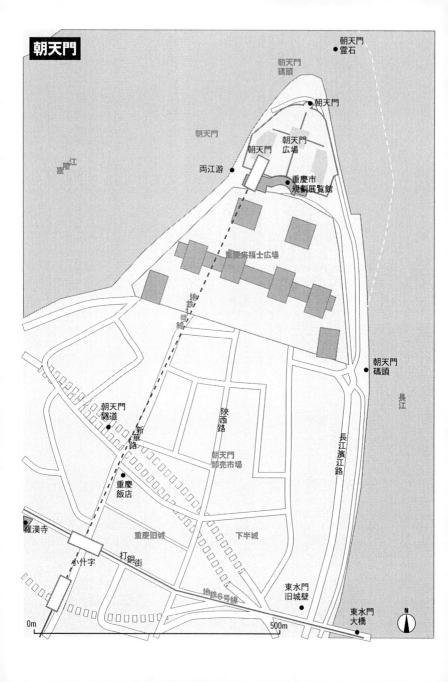

朝天門

朝天門
靈石

朝天門
碼頭

朝天門

朝天門

朝天門
広場

朝天門

嘉江
慶江

両江游

重慶市
規制展覧館

朝天門
広場

重慶来福士広場

朝天門
碼頭

長江

地鉄1号線

朝天門
隧道

新華路

陝西路

長江濱江路

朝天門
卸売市場

重慶
飯店

羅漢寺

重慶旧城

下半城

小什字

打銅街

東水門
旧城壁

地鉄6号線

東水門
大橋

0m   500m

N

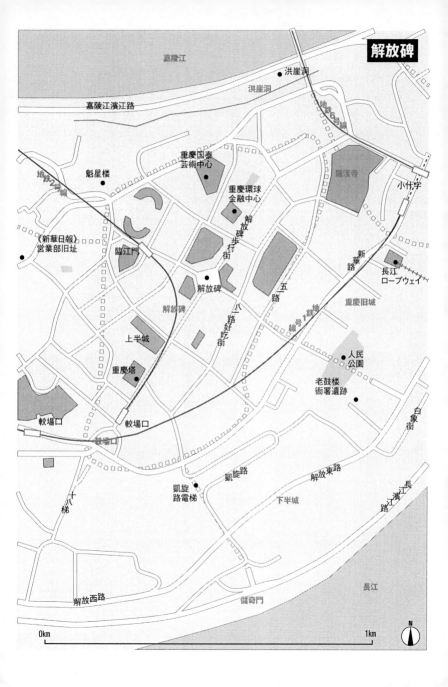

く離れ、山に囲まれた奥地として見られてきた（重慶は山に囲まれた四川盆地の東部に位置する）。三国時代には、曹操に対抗するために諸葛孔明が天下三分の計を唱えて、劉備玄徳が四川で蜀を建国し、また唐代の安史の乱では玄宗皇帝が楊貴妃とともに四川へ逃れてきた。日中戦争時、蒋介石の国民政府が南京から武漢、重慶へと都を遷し、山に囲まれた重慶に進軍できない日本軍は1938年から43年のあいだに重慶空爆を行なっている。

人民広場城市案内

**行政機関や博物館などが集まる人民広場界隈
重慶は抗日戦争の拠点として蒋介石や周恩来が
活躍したという一面ももつ**

人民広場／人民广场★★☆

rén mín guàng chǎng

じんみんひろば／レンミンガンチアン

　重慶の象徴的な建物でもある円形屋根の人民大礼堂や重慶中国三峡博物館などが立つ人民広場(巨大な劇場の人民大礼堂は1954年、北京の天壇を模して建てられた)。朝には太極拳や体操をする人々が見られ、重慶市民の憩いの場となっている。

重慶中国三峡博物館／重庆中国三峡博物馆★☆☆

chóng qìng zhōng guó sān xiá bó wù guǎn

じゅうけいちゅうごくさんきょうはくぶつかん／チョンチンチョングゥオサンシィアボォウグァン

　重慶にまつわる文物工芸品の展示のほか、この街の歴史を紹介する重慶中国三峡博物館。三峡地域で見られる古代の巴蜀文化の舟形棺桶、また西南中国の少数民族に関する展示品がならぶ。1951年に開館し、その後、総合博物館として整備された。

周公館／周公馆★☆☆

zhōu gōng guǎn

しゅうこうかん／チョウゴングァン

　日中戦争のとき、中国共産党の中共中央南方局がおかれていた3階建ての周公館。1938年、日本軍によって武漢が陥

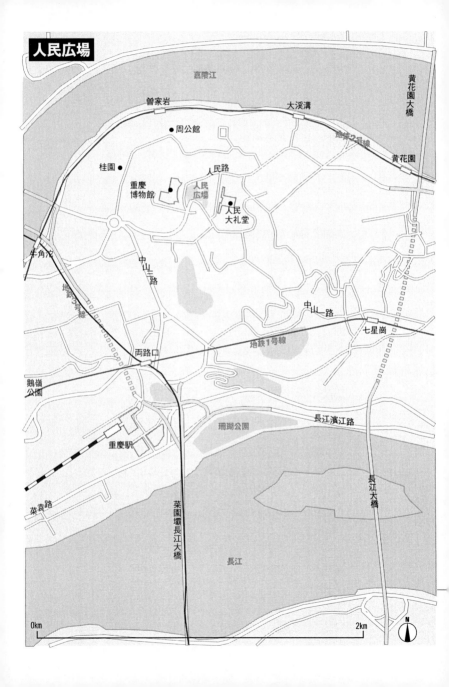

人民広場

嘉陵江

黄花園大橋

曽家岩

大渓溝

地鉄2号線

黄花園

周公館

桂園

人民路

人民広場

重慶博物館

人民大礼堂

牛角沱

中山三路

地鉄3号線

中山二路

七星崗

地鉄1号線

両路口

鵝嶺公園

長江濱江路

珊瑚公園

重慶駅

長江大橋

菜園壩長江大橋

菜袁路

長江

0km

2km

N

落すると、蒋介石の国民党を追うように中国共産党も重慶に拠点を移した。そのとき書記として赴任してきたのが周恩来(のちの中華人民共和国の首相)で、国民党との対立するなかで活動を続けた。門前には周恩来像が立つ。

桂園／桂园 ★☆☆
guì yuán
けいえん／グイユゥエン

1945年8〜10月までの43日間、国民党の蒋介石と共産党の毛沢東のあいだで戦後の中国の方針を決める会議が行なわれた桂園。国民党の要職をしめた張治中の公邸跡で、ここで両者のあいだで双十協定が結ばれた(協定が結ばれたものの、両者は国共内戦に突入し、共産党が勝利した)。桂園という名前は、このあたりにモクセイ(桂花樹)があったことによる。

磁器口／磁器口 ★☆☆
cí qì kǒu
じきこう／ツゥチイコウ

嘉陵江のほとりに位置する磁器口。ここは長江の水運を利用して運ばれた物資の集散場所だったところで、現在、明清代の街並みが整備されている。

紅岩革命紀念館／红岩革命纪念馆 ★☆☆
hóng yán gé mìng jǐ niàn guǎn
こうがんかくめいきねんかん／ホンヤンガァミンジイニェングァン

日中戦争のときに中国共産党の出先機関がおかれた紅岩革命紀念館。当時の共産党の活動に関する展示が見られる。

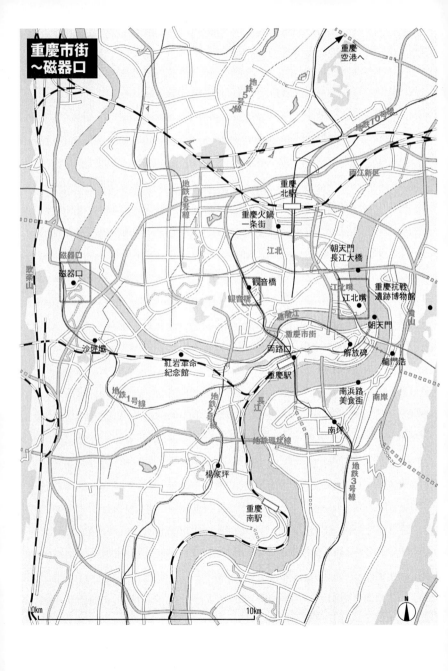

重慶市街
～磁器口

重慶空港へ

地鉄5号線

地鉄10号線

両江新区

重慶北駅

重慶火鍋
一条街

地鉄6号線

江北

朝天門
長江大橋

磁器口

磁器口

歌楽山

観音橋

鰻頭橋

江北嘴
江北嘴

重慶抗戦
遺跡博物館

嘉陵江

渝山

沙坪壩

朝天門

重慶市街

紅岩軍命
紀念館

両路口

解放碑

龍門浩

地鉄1号線

重慶駅

地鉄2号線

南浜路
美食街

南岸

長江

地鉄環状線

南坪

楊家坪

重慶南駅

地鉄3号線

0km   10km

N

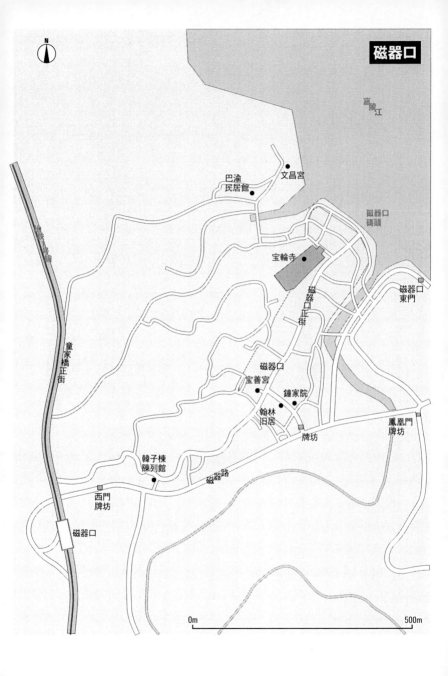

磁器口

N

嘉陵江

文昌宮

巴渝
民居館

磁器口
碼頭

宝輪寺

磁器口
東門

磁
器
口
正
街

童
家
橋
正
街

磁器口

宝善宮

鐘家院

翰林
旧居

牌坊

鳳凰門
牌坊

韓子棟
陳列館

磁器路

西門
牌坊

磁器口

0m 500m

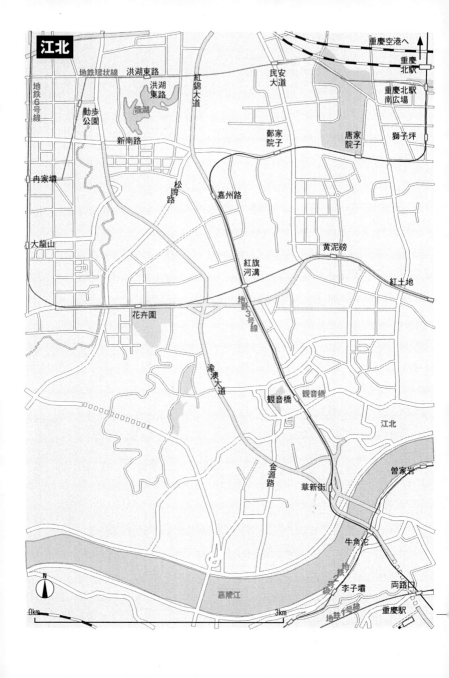

江北

重慶空港へ
重慶北駅
重慶北駅南広場
獅子坪
唐家院子
民安大道
地鉄環状線　洪湖東路
洪湖東路
紅錦大道
地鉄6号線
勤歩公園
龍湖
新南路
鄭家院子
冉家壩
松牌路
嘉州路
黄泥磅
紅土地
大龍山
紅旗河溝
地鉄3号線
花卉園
渝澳大道
観音橋
観音橋
江北
金源路
曽家岩
華新街
牛角沱
嘉陵江
李子壩
両路口
重慶駅
地鉄2号線
地鉄1号線
地鉄3号線

N

0km　　　　　　　3km

両江新区／两江新区 ★☆☆

liǎng jiāng xīn qū

りょうこうしんく／リャンジィアンシンチュウ

　嘉陵江と、その流れと合流した長江の北側に広がる両江新区。新たに整備された重慶の開発区で、長江にのぞむ港、国際空港などを備える。金融、重化学工業、機械、電子、自動車、オートバイなどの産業を中心に今後の発展が見込まれる(重慶の重工業は、戦時中、日本軍から逃れるように上海から拠点を移してきた企業や工場以来の伝統をもつ)。

周恩来の暮らした周公館

古い街並みが残る磁器口にて

人民大礼堂と重慶中国三峡博物館、壮大な空間をもつ人民広場

中国の伝統建築を今に伝える湖広会館

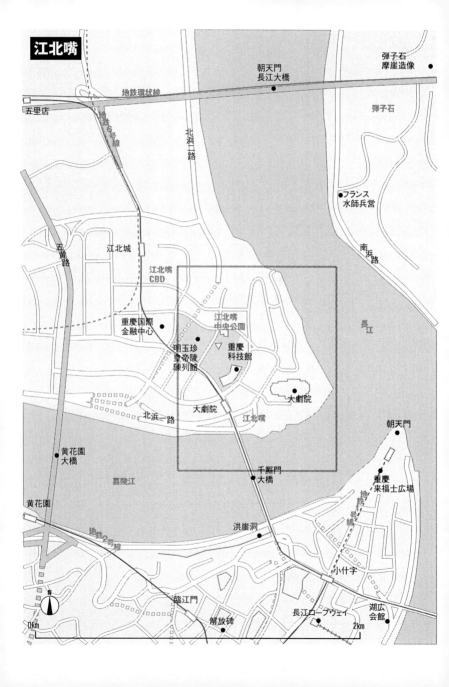

江北嘴

弾子石
摩崖造像

朝天門
長江大橋

地鉄環状線

五里店

弾子石

地鉄6号線

北浜二路

フランス
水師兵営

五黄路

江北城

南浜路

江北嘴
CBD

重慶国際
金融中心

江北嘴
中央公園

長江

明玉珍
皇帝陵
陳列館

重慶
科技館

大劇院

北浜一路

大劇院

江北嘴

朝天門

黄花園
大橋

嘉陵江

千斯門
大橋

重慶
来福士広場

地鉄1号線

黄花園

地鉄2号線

洪崖洞

小什字

N

臨江門

解放碑

長江ロープウェイ

湖広
会館

0km

2km

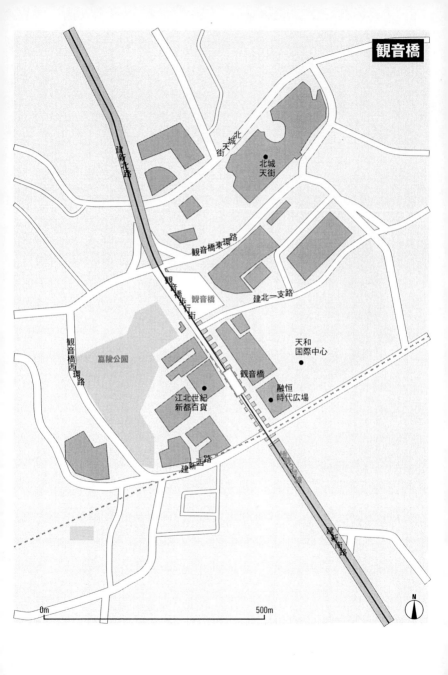

観音橋

北城天街

観音橋東環路

建北一支路

観音橋歩行街

観音橋

天和
国際中心

融恒
時代広場

観音橋西環路

嬴陵公園

江北世紀
新都百貨

建新西路

建新北路

0m　　　　　　　　　500m

N

江北の観音橋は重慶の新たな顔

アシの群生する蘆葦海

Chong Qing Jiao Qu
重慶郊外城市案内

重慶から三峡を越え、宜昌、武漢、そして上海
龍にもたとえられる長江をくだる
また重慶郊外の大足石刻は世界遺産に指定されている

三峡下り／长江三峡★★★
cháng jiāng sān xiá
さんきょうくだり／チャンジィアンサンシィア

　中国最大の大河、長江のなかでも両岸から断崖がせまり、その流れが急になる三峡。瞿塘峡、巫峡、西陵峡と続き、重慶から650㎞下流の宜昌にいたる。「三里行けば曲がり、五里行けば浅瀬」と言われ、長江を行き交う船乗りたちに難所として恐れられてきた。またこの三峡には三国志の舞台となった白帝城(劉備玄徳が臨終にあたって諸葛孔明に国の未来を託した)などの歴史的遺構が残り、杜甫や李白といった詩人がその美しい景色を詠ったことでも知られる。2009年の三峡ダムの完成とともに水位があがり、以前とは景色が変わったが、巫峡へ流れこむ小三峡や小小三峡といった長江の支流も注目されるようになった。

三峡ダム

　三峡ダムは高さ185m、長さ1983mの世界最大級のダム

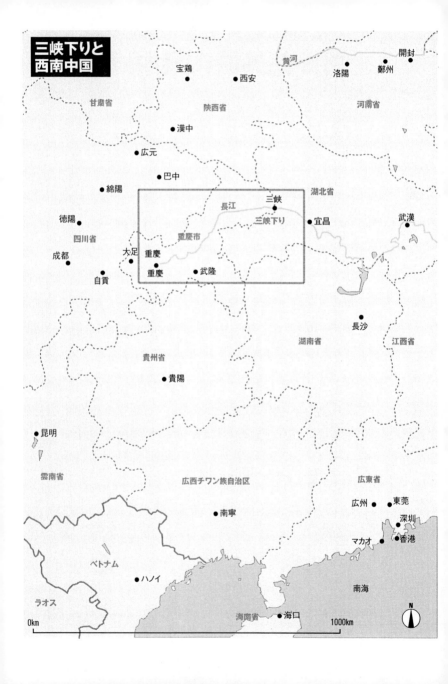

三峡下りと西南中国

黄河
開封
宝鶏　　西安　　洛陽　鄭州
甘粛省　　　陝西省　　　　　河南省
漢中
広元
巴中
綿陽　　　　　　　　　長江　　三峡
　　　　　　　　　　　　三峡下り　宜昌　　武漢
徳陽　　　　　重慶市
四川省　　大足　重慶
成都　　　　重慶　　武隆
自貢
湖北省
長沙
湖南省　　江西省
貴州省
貴陽
昆明
雲南省
広西チワン族自治区　　広東省
広州　東莞
深圳
南寧　　　　　　　　マカオ　香港
ベトナム
ラオス　　　　ハノイ
南海
0km　　　　海南省　海口　　1000km
N

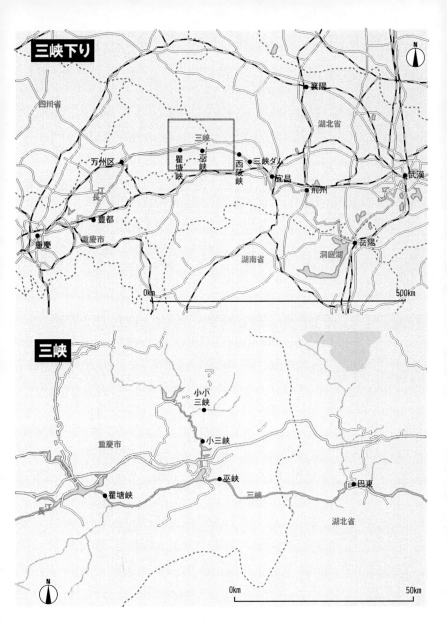

文学や歴史に彩られた瞿塘峡、巫峡、西陵峡をゆく

大足には見事な仏教彫刻が残る

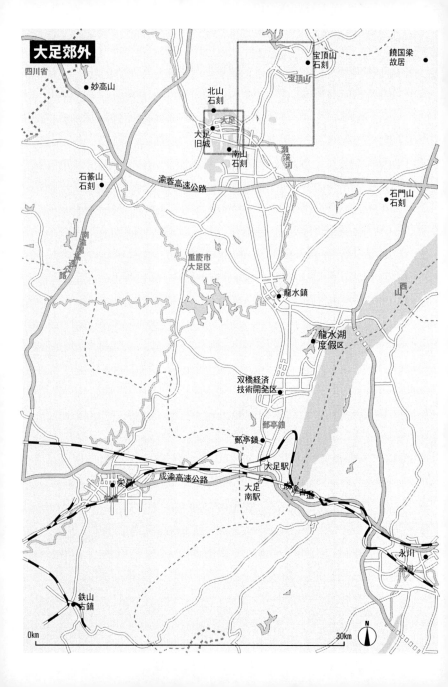

大足郊外

四川省

妙高山

北山
石刻

大足
旧城

大足

南山
石刻

宝頂山
石刻

宝頂山

饒国梁
故居

瀬渓河

渝蓉高速公路

石篆山
石刻

石門山
石刻

南瀬高速公路

重慶市
大足区

龍水鎮

龍水湖
度假区

酉江

双橋経済
技術開発区

郵亭鎮

郵亭鎮

大足駅

大足
南駅

栄昌

成渝高速公路

龍渓古鎮

永川

鉄山
古鎮

0km   30km

N

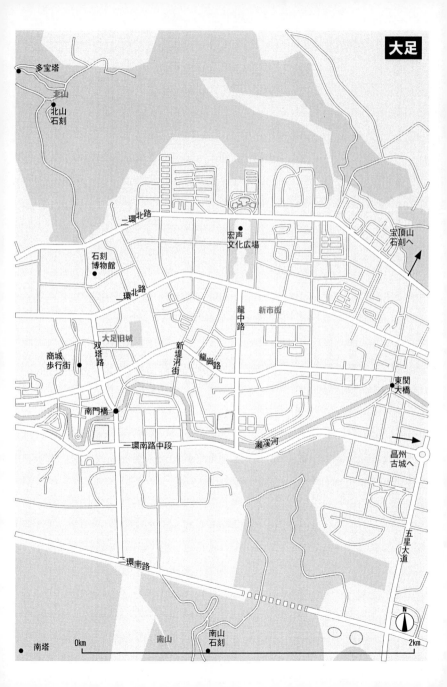

大足

多宝塔
北山
北山
石刻

二環北路

石刻
博物館

一環北路

宏声
文化広場

宝頂山
石刻へ

龍中路

新市街

大足旧城

双塔路

商城
歩行街

新堤河街

龍崗路

東関
大橋

南門橋

一環南路中段

瀬渓河

昌州
古城へ

五星大道

二環南路

南塔

0km

南山

南山
石刻

N

2km

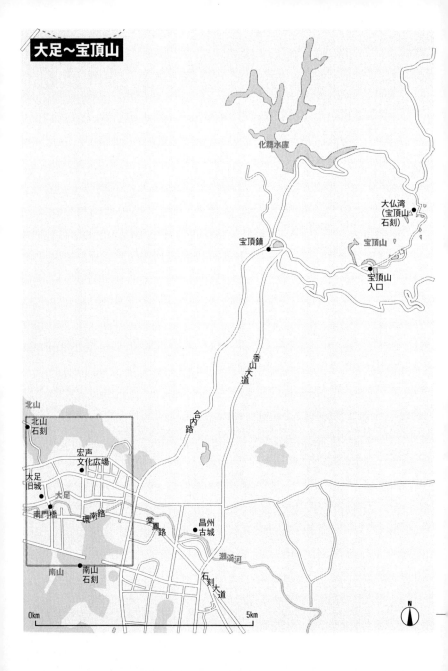

大足～宝頂山

化龍水庫

大仏湾
(宝頂山
石刻)

宝頂山

宝頂鎮

宝頂山
入口

香山大道

合内路

北山

北山
石刻

宏声
文化広場

大足
旧城

大足

南門橋

一環南路

棠澗路

昌州
古城

濂溪河

南山

南山
石刻

石刻大道

0km   5km

N

で、宜昌近くから600km上流の重慶までを貯水湖とする。長江をせきとめて電力に使うというダムの建設は1919年に孫文によって提唱され、以来、90年のときをへて2009年に完成した。ダムの建設にあたって、多くの街や村が水没し、113万人が新たな街や家屋に移住した。生態系への影響も懸念されるなか、重慶が直轄市に指定され、強力な権限のもとプロジェクトが進められた。三峡ダムの完成で長江の水位があがり、1万トン級の船舶が重慶にまで到達できるようになった。

大足石刻／大足石刻★★☆

dà zú shí kè

だいそくせっこく／ダァズゥシィカァ

　重慶から成都に向かう途上の大足には、75か所にわたって石刻や摩崖造像が点在し、仏教石窟や5万体以上の石像が残る(重慶から四川省にかけて仏教遺跡が点在し、とくに大足に集中している)。これらは唐代の9世紀から五代、宋にかけて開削されたもので、敦煌や雲崗に準ずる中国最高峰の仏教石刻として知られる。長安(西安)や洛陽では廃仏にあったが、この地では黄河中流域から離れているがゆえに名作が多く残り、大足では仏教と道教や民間信仰との習合も見られる(四川省の仏教石窟は中原のものより開削時期が遅い)。

大足石刻の構成

　大足の旧市街を中心に75か所に分布する大足石刻のなかでも、北山、宝頂山、南山、石篆山、石門山の5つがその代表とされる(湿気の多い四川省では内部に石室をつくる石窟ではなく、摩崖石

刻が掘られたのを特徴とする）。中国石窟最後期の傑作が1万点も残る北山仏湾、長さ31mの釈迦涅槃像や千手観音像の宝頂山大仏湾、仏教と道教の習合が見られる石門山の摩崖造像など、これら仏教美術は世界遺産にも指定されている。

武隆／武隆★☆☆

wǔ lóng
ぶりゅう／ウウロォン

　重慶市の東南に位置し、雲南省石林、貴州省荔波とともに中国南方カルストを構成する武隆天坑。この地方の石灰岩地形が降雨などで侵食し、石のアーチをはじめとする得意な景観をつくっている。この中国南方カルストは2007年、世界自然遺産に登録された。

城市のうつりかわり

長江の水運を生かして発展してきた重慶
四川の地とあわせて巴蜀と呼ばれたが
20世紀末、直轄市として四川省から分離した

古代巴国 （～紀元前4世紀）

　中原に殷周があった古代、重慶の地には巴国と呼ばれる地方政権があり、当時の青銅器も出土している。『山海経』には「西南、巴国有り」とあり、周代に巴子国がここに都江州をおいたと伝えられる（巴人は武王に従軍し、宗姫が巴に封じられた）。戦国時代、巴は斉、秦や楚とともに地方政権を形成し、大国楚から長江をさかのぼった上流に位置することから楚との交流があったと考えられる。巴からさらに上流には蜀があり、巴蜀のあいだで争いが起こり、やがて西方の大国秦の軍事介入を招いて滅ぶことになった。

秦漢時代 （紀元前4～3世紀）

　戦国七雄のうち、西方の大国秦は紀元前316年に南下して四川と重慶を征服し、巴郡と蜀郡がおかれた（秦の中国統一のなかで最初期に勢力下に入った）。続く漢代の226年、都護の李厳が街を拡大して蒼龍白虎門がつくられた。後漢代になると重慶は益州(四川省)に属し、3世紀の三国時代には劉備玄徳の蜀の勢力下に入った。このあたりは漢族にとって、中国西南地方に暮らす異民族への前線となっていた。

南北朝隋唐時代 （6～10世紀）

　重慶をふくむ四川盆地は南北朝の争いの場となり、南朝の支配下が続いたが、551年、北朝（北周）によって巴県、続く隋代の581年、渝州がおかれ、重慶は渝城と呼ばれた（渝水と呼ばれた嘉陵江のそばに位置するため）。以後、隋唐代を通じてこの名前で呼ばれるようになり、現在の重慶の略称である「渝」はこの渝州に由来する。唐代から重慶の夏の暑さは有名で、よその土地のものは病になると言われた。

宋元時代 （10～14世紀）

　宋代になると江南が経済発展を見せ、長江上流域も開発が進むようになった。重慶という名前は、南宋時代の1189年、この地に封ぜられていた恭王が第3代光宗に即位したことにちなみ、「双重喜慶（二重の喜び）」を意味する重慶と呼ばれるようになった（自らが封ぜられた地を重慶府に昇格させた）。元代の1239年にモンゴル軍の猛攻をうけたが、朝廷から派遣されていた彭大雅が重慶の城壁を整備していたために一度はその猛攻をしのいだ。やがて重慶はモンゴル軍によって陥落し、翌年の1279年、南宋も滅亡した。

重慶にあった地方政権 （14世紀、17世紀）

　中国西南部に位置する重慶では、元末、明末の反乱で、この地独自の政権がつくられた歴史をもつ。元末の14世紀に起こった紅巾の乱では、明玉珍が四川全域を勢力下におさめ、「夏」という国号を称して重慶に都をおき、9年間このあたりを支配した（1366年、朱元璋の勢力下に入った）。また明末の17世紀、陝西省の農民反乱軍をひきいた張献忠は、成都と重慶の四川一帯を支配して大西を樹立し、成都を西京とした（やがて清の支配下に入った）。

卓球を愉しむ人々、夏の暑さは相当なもの

重慶旧市街にて、坂がとにかく多い

重慶は簡体字で「重庆」と表記し、「チョンチン」と読む

長江の流れが重慶に恵みをもたらしてきた

明清時代 (14～20世紀)

　明代には重慶の城郭が整備され、朝天門などから長江を通じて物資が北方に送られるようになった(宋代に「蘇杭熟すれば天下足る(江蘇省、浙江省)」と言われていたが、明末には「湖広熟せば天下足る(湖北省、湖南省)」と生産地が内陸に移っている)。明清時代に運河や水路を通して中国全土を結ぶ流通網ができると、物産が豊かな四川省、雲南省、貴州省を背後に抱える重慶の地位が高まっていった。

重慶の開港 (19世紀)

　清代、広州一港で交易が行なわれる鎖国体制が敷かれていたが、アヘン戦争以後、各地の港が開港させられることになった。1842年の南京条約以後、西洋の宣教師や商人が重慶で活動し、1890年、イギリスと清朝のあいだで結ばれた煙台条約続増専条で重慶も開港することになった。イギリスにとって中国内陸の富を沿岸に運ぶ長江流域、漢口、鎮江、九江、そして中国西南地域最大内陸の富の物資を集散する重慶はとくに重要だった(イギリスの駐在員が派遣された)。

中華民国 (20世紀)

　1912年、清朝に替わって中華民国が成立すると、1929年に重慶は市に昇格し、中国人による都市建設が進んだ(西欧で建築を学んだ人々が重慶に洋館を建てた)。1937年、日中戦争が勃発後、南京の蒋介石政権は日本軍の進軍を避けるため武漢、重慶へと都を長江の上流へと遷していった。このとき上海などの工場や産業も重慶に拠点を移し、重慶の重工業の基礎が築かれた。戦後、首都は再び南京に戻ったが、重慶には当時の遺構がいくつも残っている。

中華人民共和国（1949年～）

　蒋介石の国民党と毛沢東の共産党による内戦をへて、1949年、中華人民共和国が成立すると、重慶は天津、上海、武漢、瀋陽、ハルビンとならぶ六大重工業都市とされた。日中戦争時代からの重工業が発達し、とくに鉄鋼、化学工業、自動車、バイクの部品産業などが知られている。1997年、重慶は直轄市に指定され、現在、旧市街の北側の両江新区が整備が進むなど、内陸中国への拠点として注目されている。

城市のうつりかわり

『中国の歴史散歩〈4〉』(山口修・鈴木啓造/山川出版社)

『近代中国の都市と建築』(田中重光/相模書房)

『成都重慶物語』(筧文生/集英社)

『四川と長江文明』(古賀登/東方書店)

『重慶国民政府史の研究』(石島紀之・久保亨/東京大学出版会)

『重慶爆撃とは何だったのか』(荒井信一/高文研)

『Asia 21中国/内陸 (重慶・成都) 特集号』(株式会社アジアにじゅういち)

『世界遺産めぐり(26)重慶市・大足 大足石刻』(劉世昭/人民中国)

『世界大百科事典』(平凡社)

[PDF]重慶地下鉄路線図http://machigotopub.com/pdf/chongqingmetro.pdf

[PDF]重慶空港案内http://machigotopub.com/pdf/chongqingairport.pdf

OpenStreetMap

(C)OpenStreetMap contributors

はじめての重慶／内陸中国、第4の「直轄市」

まちごとパブリッシングの旅行ガイド

Machigoto INDIA , Machigoto ASIA , Machigoto CHINA

マカオ-まちごとチャイナ

Juo-Mujin（電子書籍のみ）

自力旅游中国Tabisuru CHINA

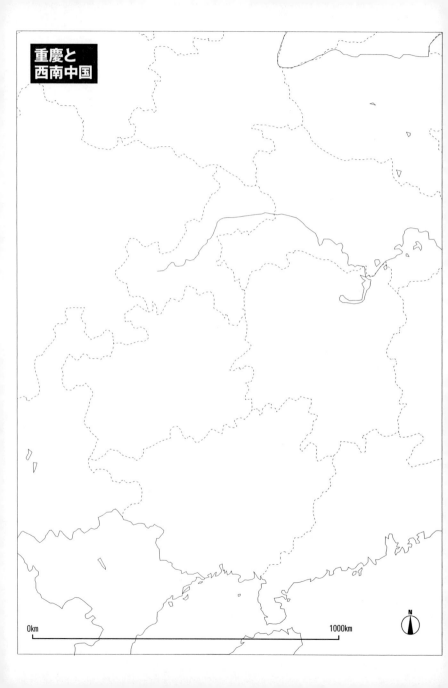

重慶と
西南中国

0km
1000km

N

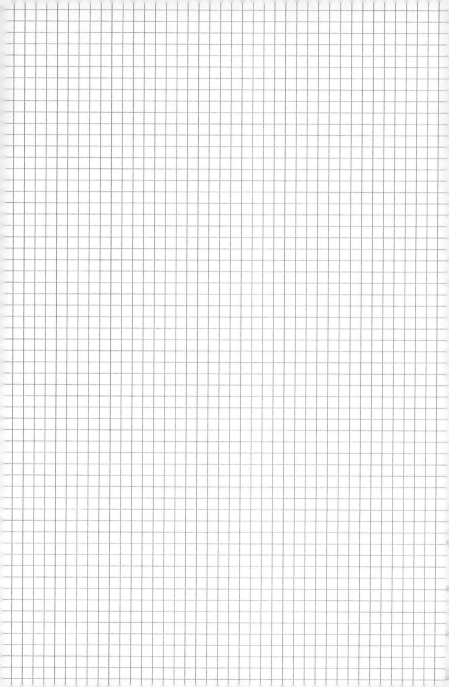

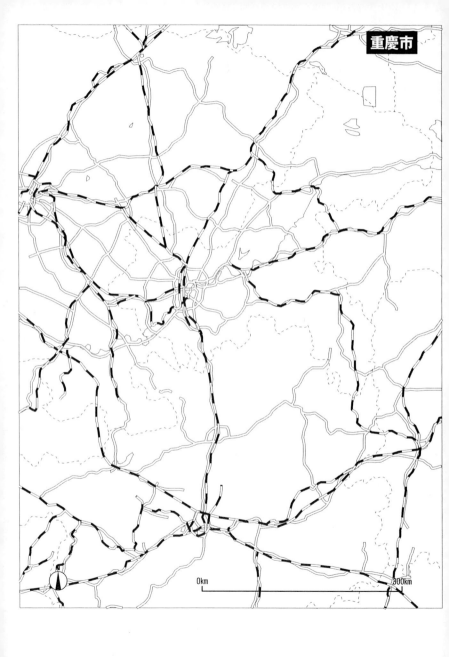

重慶市

0km   800km

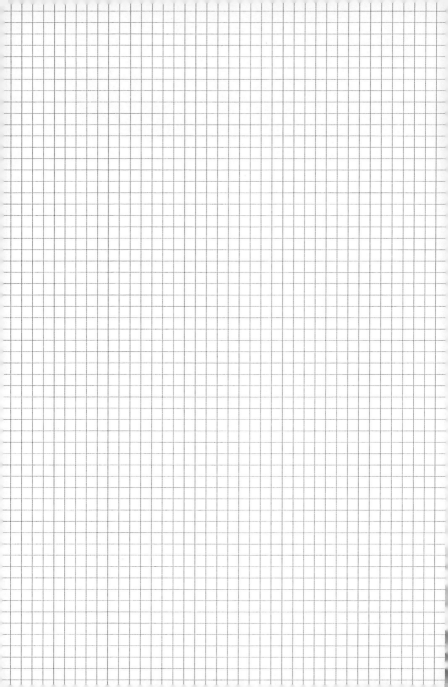

重慶

N

0km　　　　　　　　　　　10km

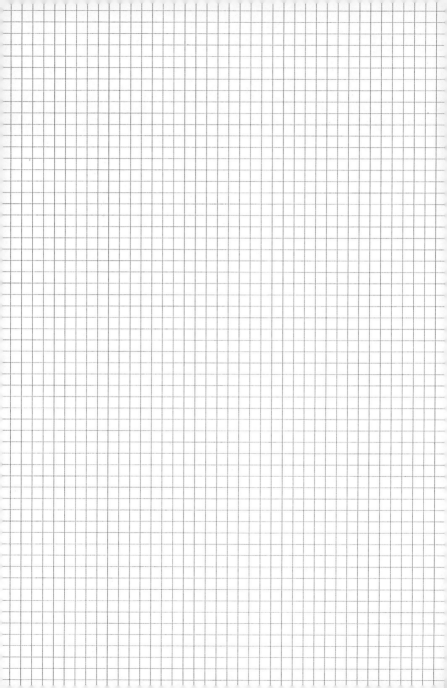

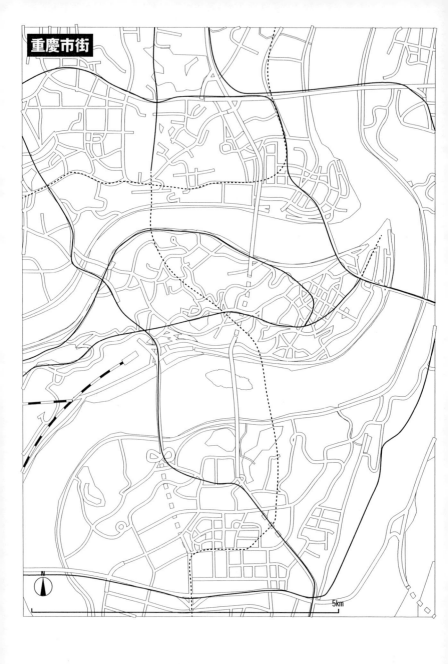

重慶市街

N

5km

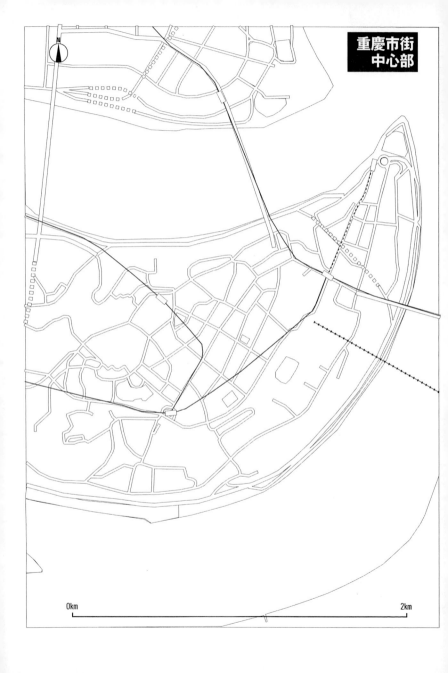

重慶市街
中心部

0km   2km

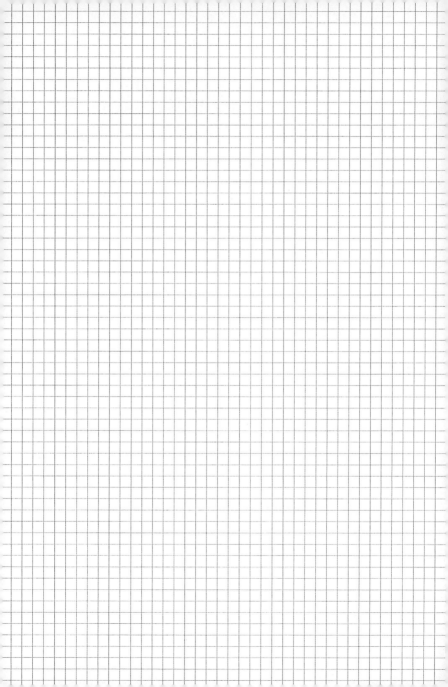

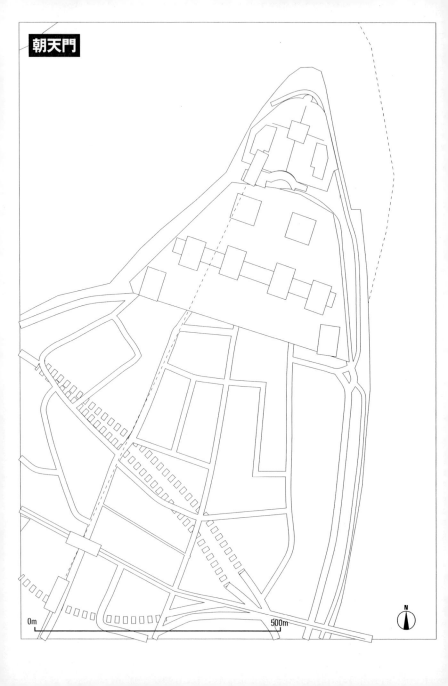

朝天門

0m   500m

N

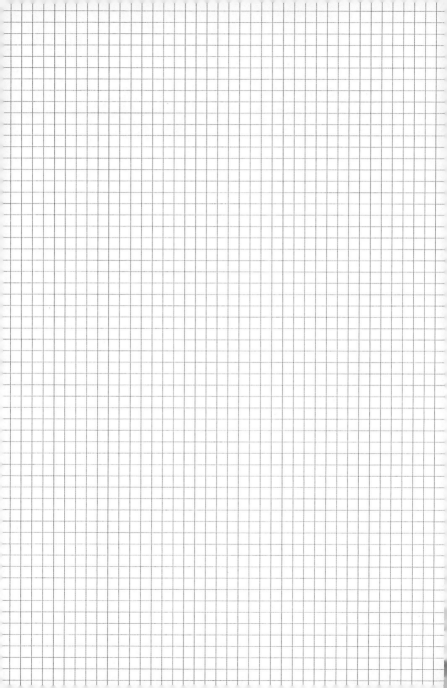

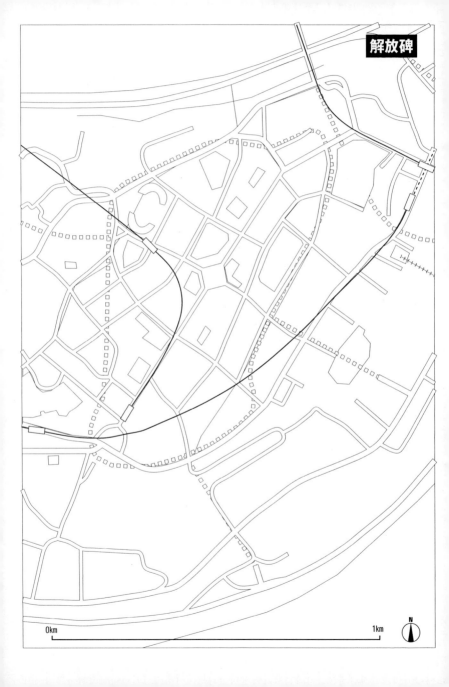

解放碑

0km   1km

N

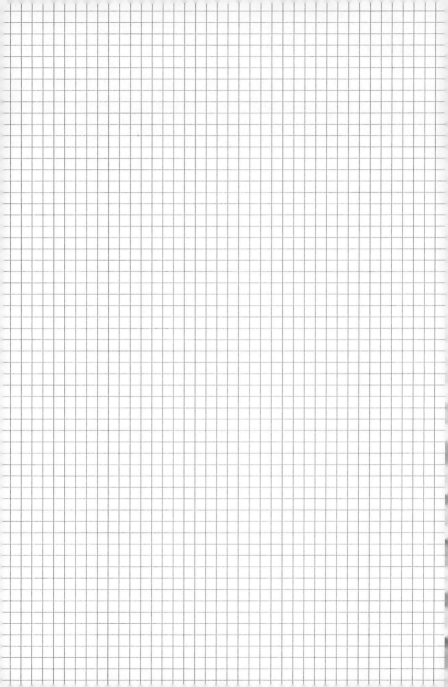

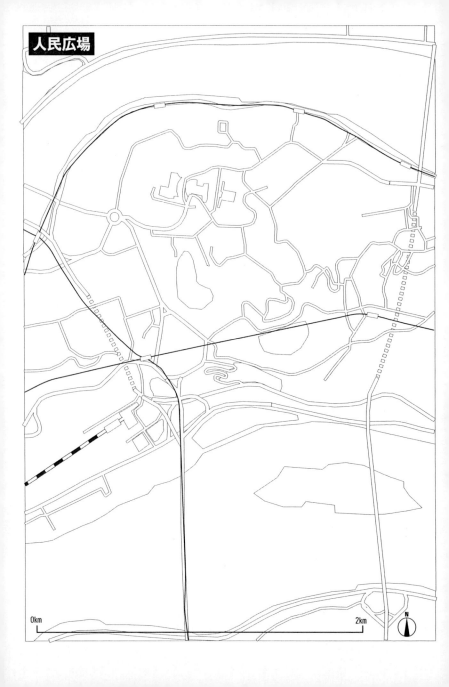

人民広場

0km　　　　　　　　　　　　　　　　　2km

N

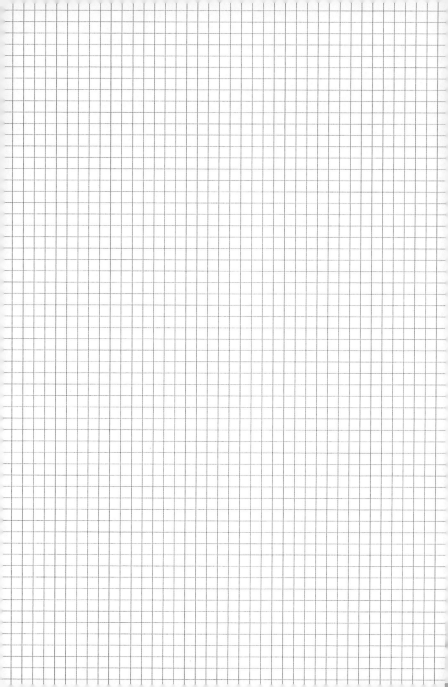

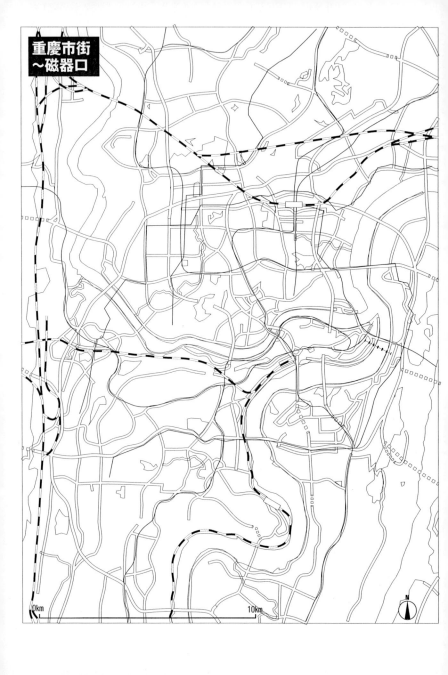

重慶市街
〜磁器口

0km   10km

N

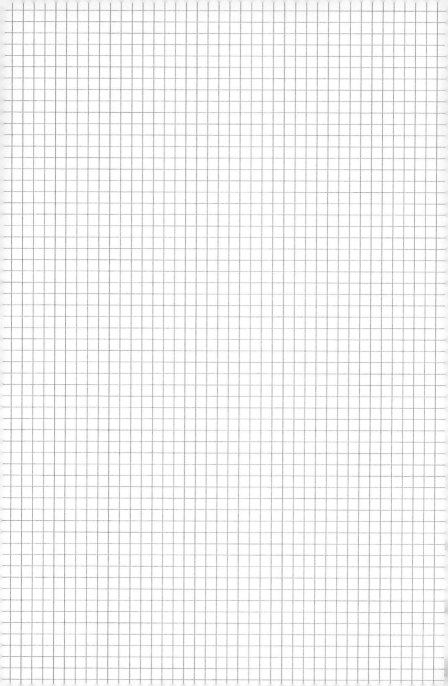

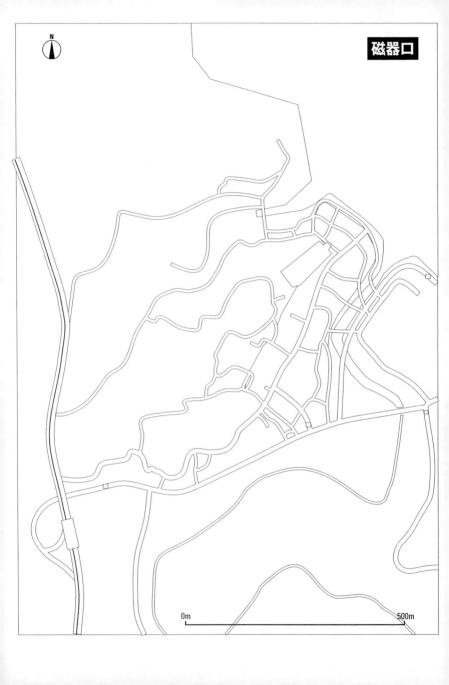

磁器口

N

0m 500m

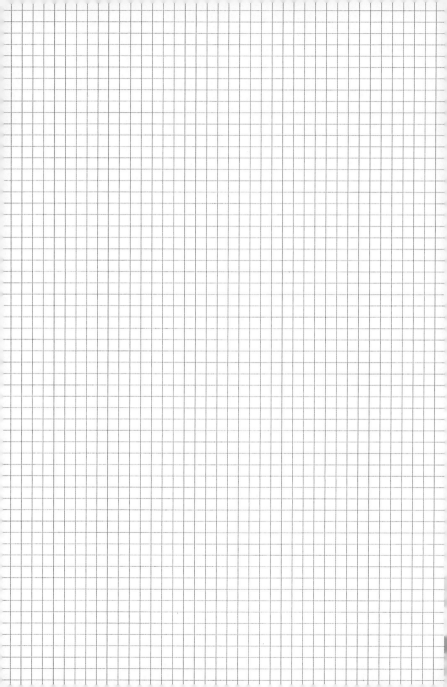

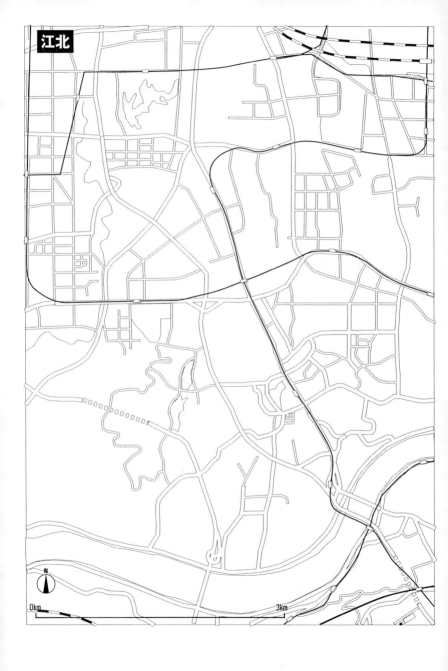

江北

N

0km 3km

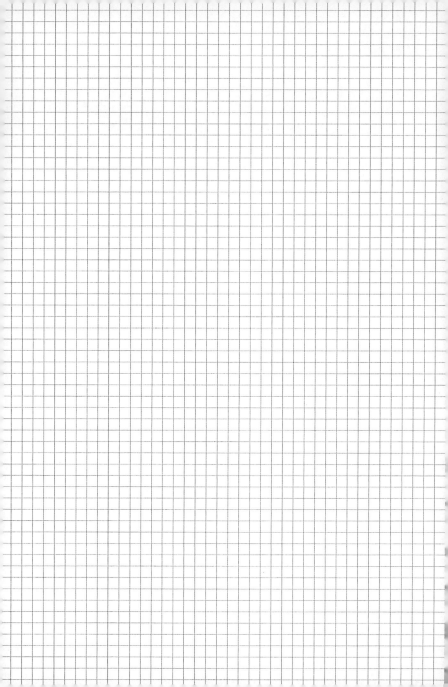

江北嘴

N

0km   2km

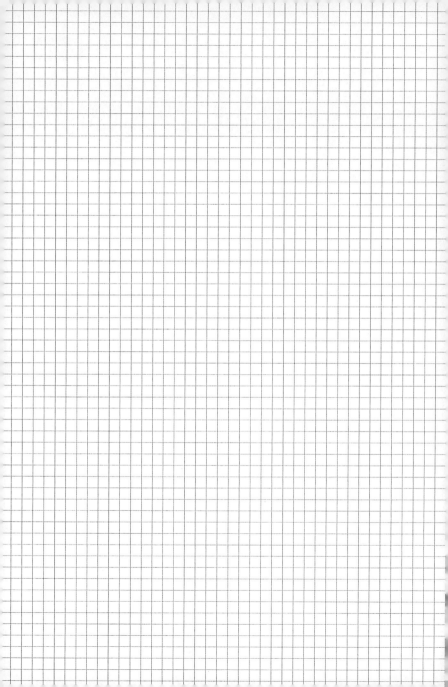

観音橋

0m　　　　　　　　　　　　500m

N

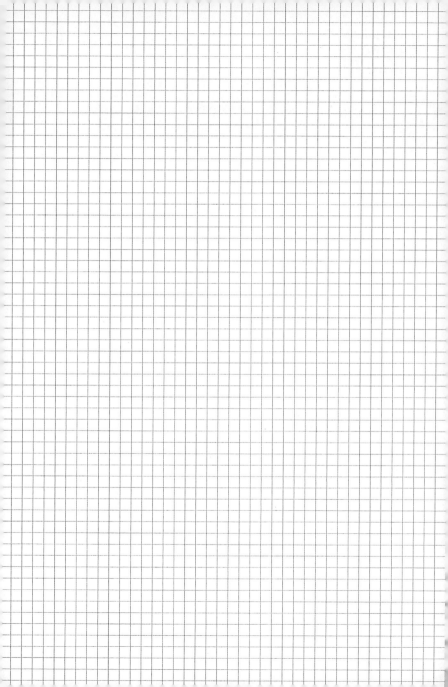

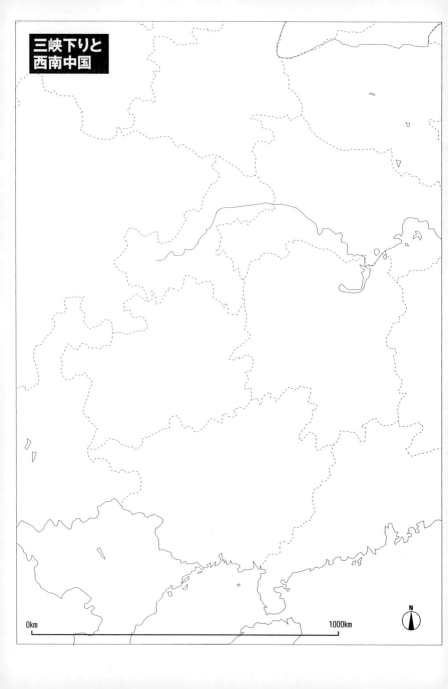

三峡下りと
西南中国

0km 1000km

N

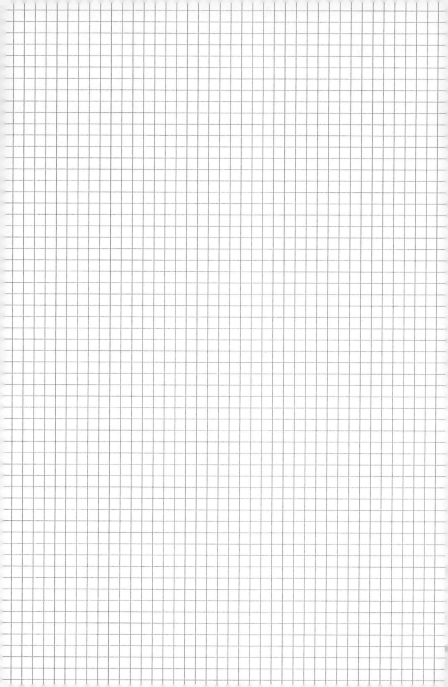

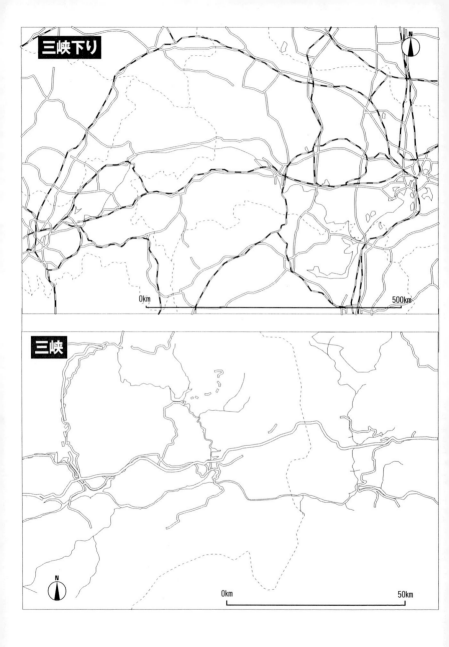

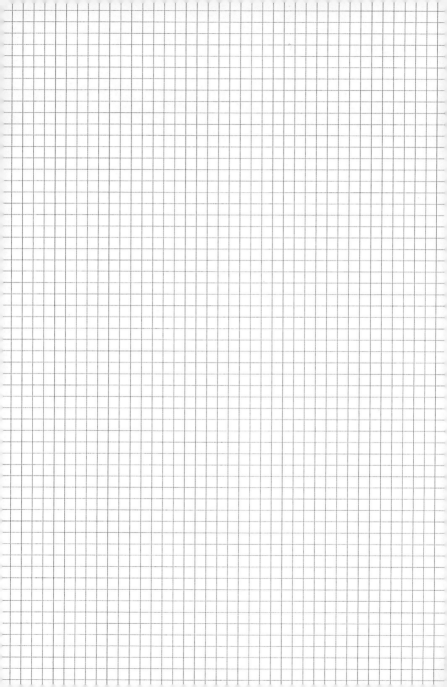

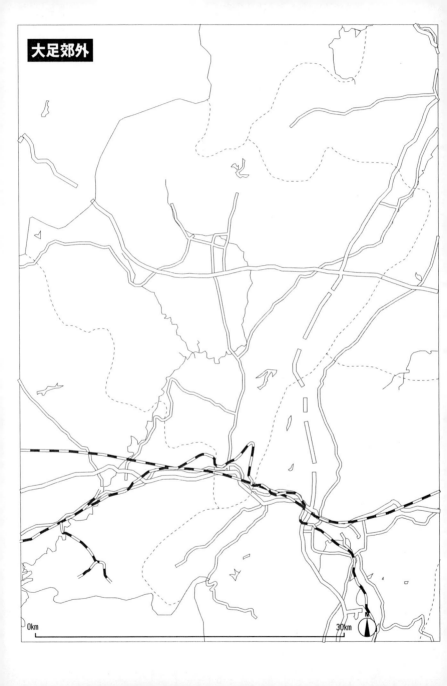

大足郊外

0km   30km

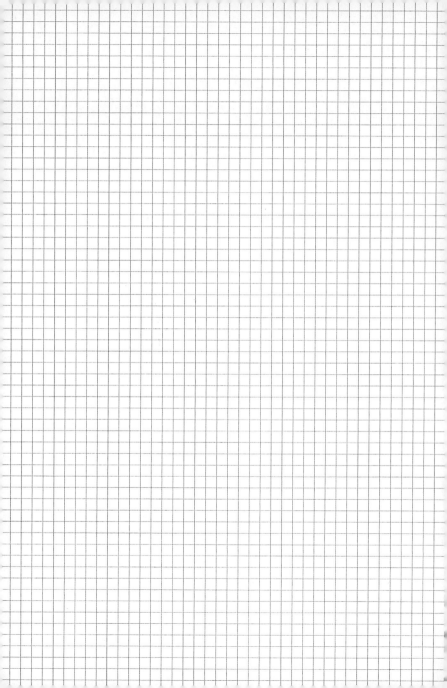

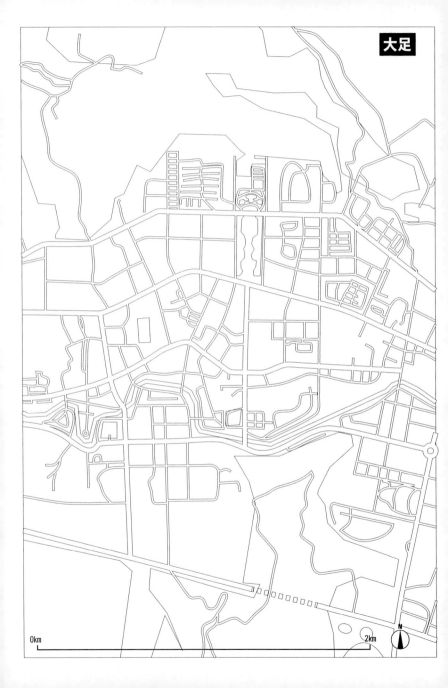

大足

0km 2km
N

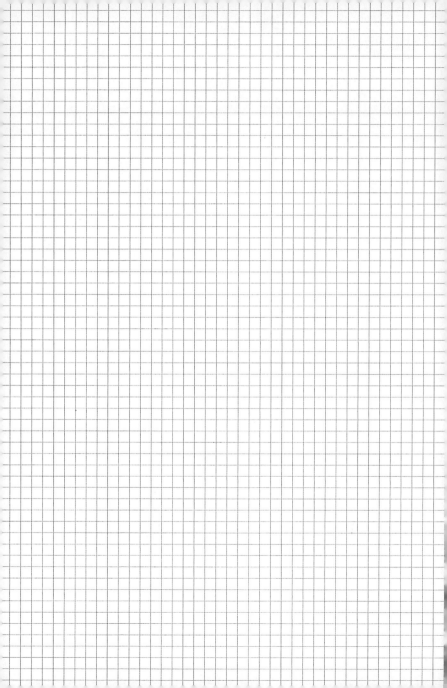

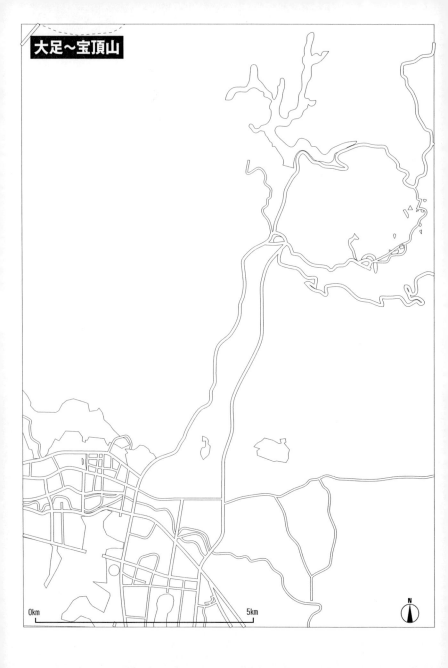

大足～宝頂山

0km　　　　　　　　5km

N

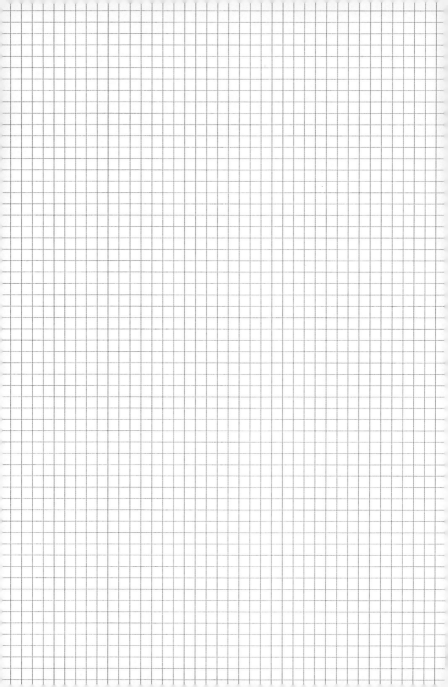

【車輪はつばさ】

南インドのアイラヴァテシュワラ寺院には
建築本体に車輪がついていて
寺院に乗った神さまが
人びとの想いを運ぶと言います

An amazing stone wheel of the Airavatesvara Temple
in the town of Darasuram, near Kumbakonam in the South India

まちごとチャイナ
重慶 001

はじめての重慶
内陸中国、第4の「直轄市」
［モノクロノートブック版］

「アジア城市（まち）案内」制作委員会
まちごとパブリッシング
http://machigotopub.com

・本書はオンデマンド印刷で作成されています。
・本書の内容に関するご意見、お問い合わせは、発行元の
　まちごとパブリッシング info@machigotopub.com までお願いします。

まちごとチャイナ
新版 重慶001はじめての重慶
　〜内陸中国、第4の「直轄市」

2020年 8月15日　発行

著　者　　「アジア城市（まち）案内」制作委員会
発行者　　赤松　耕次
発行所　　まちごとパブリッシング株式会社
　　　　　〒181-0013　東京都三鷹市下連雀4-4-36
　　　　　URL http://www.machigotopub.com/
発売元　　株式会社デジタルパブリッシングサービス
　　　　　〒162-0812　東京都新宿区西五軒町11-13
　　　　　清水ビル3F
印刷・製本　株式会社デジタルパブリッシングサービス
　　　　　URL http://www.d-pub.co.jp/

MP235